D1286860

TODO SANTANDER Y CANTABRIA

Texto literario, fotografías, diagramación y reproducción, enteramente concebidos y realizados por los equipos técnicos de EDITORIAL ESCUDO DE ORO, S.A.

Reservados los derechos de reproducción y traducción, total o parcial.

Copyright de la presente edición sobre fotografías y texto literario: © EDITORIAL ESCUDO DE ORO, S.A.

6.ª Edición, Abril 1988

I.S.B.N.

84-378-0077-3

Dep. Legal B. 11952-1988

editorial **escudo de oro, s.a.** Palaudarias, 26 - 08004 Barcelona - España

Impreso en España - Printed in Spain
F.I.S.A. Palaudarias, 26 - 08004 Barcelona

La pequeña villa de pescadores fortificada de Santander, en el siglo XVI.
Grabado del libro Civitates orbis terrarum, compuesto por el arcediano
de Dortmund Jorge Braun, por encargo de la Santa Sede.
(Ejemplar conservado en la Biblioteca de Menéndez y Pelayo.)

EL MÁS ANTIGUO ESPAÑOL CONOCIDO

No ha mucho tiempo, en una cueva de Villaescusa, próxima a Santander, se hallaron vestigios de un ser humano que vivió hace... 30.000 años.

Este fósil, denominado por los arqueólogos "El hombre de Morín" —pero al que en Santander llaman familiarmente "Pipo"—, puede ser el más antiguo poblador identificado de España y antepasado de los que plasmaron en Altamira los primeros balbuceos del arte pictórico. A los descendientes de su estirpe, habitantes de la Cantabria, tuvieron que someterlos las legiones de Augusto, tras decenios de una sangrienta guerrilla que sólo terminó cuando Agripa arrasó el país y los últimos guerreros murieron crucificados cantando sus himnos. De este pueblo indómito, forjado en la vida de caza, adorador de la libertad y que prestaba a sus caudillos juramento de no sobrevivirles, dijo Horacio: *Cantabrum, indoctum iuga ferre nostra.* "No pudimos imponer a los cántabros nuestro dominio". (Carmina, II, 6, 2).

Pero hoy Santander ha sustituido la guerra por el trabajo y es cálida y acogedora para todo visitante y abierta a toda novedad que a sus tierras llegue.

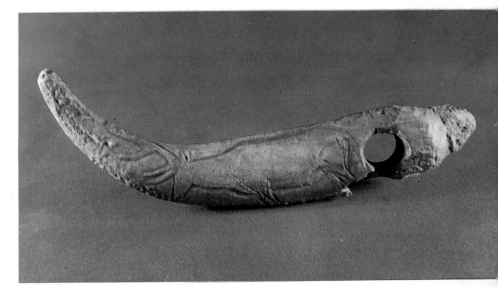

Hombre de Morín: huella humana de enterramiento (30.000 años). — Museo de Altamira.

Bastón de mando de asta de ciervo —13.000 años—, procedente de la cueva de El Castillo (Puente Viesgo). Estela funeraria de Zurita, anterior al siglo III, muestra del culto cántabro a los muertos. —Museo Provincial de Prehistoria.

LA CATEDRAL

La abadía, posiblemente fundada por Alfonso II el Casto y promovida a la dignidad de colegiata por Alfonso VII en 1131, fue más tarde dotada por Fernando III el Santo que —en agradecimiento a la contribución santanderina a la conquista de Sevilla— nombró abad a su nieto Sancho y, finalmente, elevada a catedral por Fernando VI, al crearse el Obispado de Santander en 1754. Según la tradición, acogió diversas reliquias sagradas y por ello tomó el nombre de «Los Cuerpos Santos». Se conservan los cráneos de los santos cristianos Emeterio y Celedonio, que alcanzaron el martirio en Calahorra, bajo la persecución de Diocleciano, el año 300. Sus cabezas figuran en el escudo de armas de la ciudad —junto a la Torre del Oro sevillana, cuya cadena de defensa del Guadalquivir quiebra una nao santanderina— y, según Menéndez Pidal, de la advocación *Sancti Emetherii* parece derivarse el nombre de la ciudad: Santemder, Santander.

Alzada en una roca sobre el fondeadero primitivo, sirvió de iglesia, enterramiento, atalaya y fortaleza, como puede adivinarse por su sólida torre militar, cuya austera geometría cúbica no alteran más que unas angostas ballesteras y los campaniles.

Presbiterio, coro y retablo del Altar Mayor, de estilo castellano del siglo XVIII. En la urna, las reliquias de los Santos Patronos Emeterio y Celedonio.

Cimborrio de la Catedral, desde su claustro jerónimo.

Almidha árabe de abluciones, de mármol blanco, utilizada en el culto.

Túnel de Azogues —pórtico de la iglesia de El Cristo— así llamado por haber servido como polvorín de mercurio con fines militares.

Sorprendentes y enormes basamentos de la arquería románica de El Cristo, bajo la Catedral.

El templo acumula diversos estilos arquitectónicos, muestra de la lentitud de la construcción, y refleja la preponderancia económica que iba adquiriendo la ciudad, que puede seguirse por las sucesivas adiciones de naves, claustros, capillas y escalinatas. Románica su cripta-iglesia; gótica su esbelta nave principal —a la que van adosando sus capillas, tras las familias de abolengo, las que regresan enriquecidas de América— y el claustro remansado que abriga su jardín monástico entre galerías acristaladas; renacentista una escalinata majestuosa, desaparecida en el incendio de 1941, cuya posterior reconstrucción y reforma añadió también un ábside y una lucerna que da amplitud y claridad a la antigua abadía jerónima. El retablo es barroco castellano, incorporado también después del incendio, que destruyó el original, modesto pero muy característico. Traída como botín de alguna algara o campaña de reconquista, la pila árabe de abluciones nos ofrece su agua con esta inscripción: "Yo soy un manantial mecido por los vientos. Mi cuerpo es transparente como cristal, formado de blanca plata. Mis ondas puras y frescas, temerosas de su propia sutileza y delgadez, pasan luego a formar un cuerpo sólido y congelado".

Un pintoresco rincón románico enmarca su entrada principal que se abre en la falda de la roca donde se asiente la catedral; debajo de ésta se encuentra la iglesia-cripta de El Cristo, construida a finales del siglo XII a base de elementos románicos, aunque en el siglo XIII se le añadiera un ábside gótico.

El Ayuntamiento iluminado
da mayor realce a la
renovada Plaza del
Generalísimo.

Monumento funerario a
Menéndez y Pelayo, obra de
Victorio Macho.

Santander, una ciudad
besada por el mar.

Salón de recepciones del
Ayuntamiento.

La arquería, de macizos basamentos, el silencio y recogimiento de la cripta —más que sombría, tenebrosa—, la severidad de su ornamentación, son el marco patético en que se nos presenta una talla de Cristo crucificado, del siglo XVI, flanqueado por unos candelabros.

Utilizada como tumba de abades y monjes, posteriores excavaciones han constatado que sirvió también de enterramiento popular, durante las terribles pestes que asolaron la ciudad varias veces en la Edad Media y que aniquilaron prácticamente su población.

Es tradición que, bajo este templo, existe aún una tercera iglesia, sin que las pesquisas, incluida una comisión arqueológica enviada por Felipe V, hayan arrojado mayor luz sobre los diversos testimonios escritos que hacen alusión a ella.

Colección del Ayuntamiento.
Escuela italiana:
Visita de Santa Ana a la Virgen.
Tancredo y Clorinda (s. XVII).

LA CIUDAD

Parece ser que los orígenes de Santander están en el establecimiento romano de *Portus Victoriae,* uno de los que —con *Portus Blendium* (¿Suances?), *Flavióbriga* (Castro Urdiales), *Julióbriga* (Reinosa) y *Mons Vindium* (¿Ibio?)— constituían el sistema estratégico y logístico de la colonización romana y de sus comunicaciones marítimas con Galia y Britania.

Este pueblo recibió de la naturaleza el don de un puerto resguardado y profundo, rodeado de espesos bosques, próximo a yacimientos mineros y salida natural de la meseta ibérica. Ello determinó su vocación constructora naval y mercantil, constantes hasta hoy de la vida santanderina.

Las naves construidas en las Atarazanas de Santander integran la flota que —conducida por el burgalés Ramón de Bonifaz— conquista Sevilla en 1248. Durante toda la Edad Media florece su comercio marítimo con las ciudades de la Liga Hanseática, de Flandes y del Canal de la Mancha y, una vez descubierta América, se inicia una relación fructífera de intercambio que no ha cesado ni siquiera tras la pérdida de las provincias ultramarinas en 1898.

Frutos del mar, el campo, el río, en sabia alquimia gastronómica. Y, entre ellos, la quesada, postre nacido en la feliz encrucijada de la harina de Castilla, el azúcar de Cuba y la leche y los huevos de La Montaña.

La calle de Cuesta nos abre la hospitalidad de sus mesones.

Calle de San Francisco, remanso de paz para los paseantes, tras la «hora punta» comercial.

Bella escena de los jardines de Pereda, lugar preferido por los niños, asiduos visitantes del mini-zoo.

Durante la alta Edad Media, Santander se hallaba sometida de hecho a la Casa de Lara, hasta que Alfonso VIII confirmó sus libertades municipales y dio a la ciudad la categoría de villa sin dependencia feudal.

En la pujante democracia foral de la Castilla del medioevo, obtuvo Santander sucesivamente los privilegios suficientes para su desarrollo económico. Las Ordenanzas Municipales —contenidas en un pergamino fechado en 1475 que se conserva— recogen este marco de libertad y autogobierno, confirmado por los Reyes Católicos en 1493.

*Presidiendo los jardines de su
nombre se encuentra el monumento
al insigne escritor montañés
José M.ª de Pereda (1853-1906),
obra de Coullaut Valera.*

En la Edad Moderna, la villa fue puerto de aprovisionamiento de las armadas reales y Fernando VI le concedió el título de ciudad en 1755. Al crearse luego el Consulado de Mar y Tierra en 1785, se le abren nuevos derroteros, derribándose las ya inservibles murallas construidas por Alfonso II el Casto y ampliándose en calado, refugios y servicios el puerto. Luego, en 1817, es creada la nueva provincia administrativa de Santander, ascendiendo la ciudad al rango de capital de la provincia de su nombre, aunque muchos prefieran la denominación de La Montaña, en razón a su agreste y ampulosa orografía, promesa de su fertilidad.

EL AYUNTAMIENTO

El municipio santanderino tiene su Casa consistorial en edificio de piedra de
sillería labrada, de sobrio diseño modernista, no exento de pretensiones arquitectónicas. Iniciado a principios de este siglo, se ha utilizado incompleto
muchos años, hasta su reciente terminación con algunas modificaciones.
En su zaguán principal, unos frescos de Fernando Calderón inmortalizan
sencillas escenas populares de la vida ciudadana: el mercado del pescado y
la dársena tranquila con los "pataches" del modesto comercio costero. De su
carillón bajan serenamente las horas en aires musicales típicos —"Voy a la
fuente de Cacho", "Cuatro pañuelucos tengo", "A lo alto y a lo bajo"— a la
Plaza del Generalísimo —que preside su estatua ecuestre—, hasta el jardín
en que juegan los niños y aletean las palomas, en torno a las aguas multi-
colores de la fuente cimbreante.

*Fuente-monumento a la novelista
Concha Espina (1879-1955), obra
de Victorio Macho.*

*Plaza de Alfonso XIII, con el
monumento al capitán Pedro de
Velarde (1779-1808).*

La Plaza de Alfonso XIII, cariñosamente llamada «Las Farolas», tiene este magnífico aspecto después de la construcción del práctico aparcamiento subterráneo.

POR LAS CALLES

Del corazón urbano de la Plaza del Generalísimo parten las calles que, desde todos los ángulos, nos llevarán o nos asomarán al mar, compañero continuo y omnipresente de nuestra visita a Santander.

La calle de San Francisco ha defendido tenazmente, a través de todas las transformaciones impuestas por los tiempos, su personalísimo carácter: Ser el escaparate continuo y sin interrupción del comercio santanderino. Sin un solo portal de vivienda, cerrada al tráfico rodado, sólo destinada a tiendas,

es la calle para pasear contemplando y haciendo cuentas, entretenimiento obligado de parejas con proyectos inmediatos de felicidad y pacíficos matrimonios bien administrados.

En cambio, la calle de Cuesta —la mayor concentración de bares por metro cuadrado del mundo y también prohibida a los vehículos— tiene otra sagrada misión: Servir de plataforma a la amistad, de ruedo a los grupos bulliciosos que confraternizan en torno al vaso de vino, los "pinchos" de tortilla o champiñón con tocino y el rito entrañable del cigarro.

Perspectiva de la Avenida de Calvo Sotelo. El edificio de Correos es el punto ideal de citas y encuentros inesperados.

El Banco de Santander, situado en
el Paseo de Pereda, y un aspecto de
los Jardines de Pereda.

El capitán mercante, *obra de las
más representativas del montañés
Gutiérrez Solana (Colección del
Banco de Santander).*

Del mar le viene a Santander la fortuna y la desgracia. Como vía de penetración a la meseta y como puerto natural de Castilla, recalan en sus muelles barcos de todas las banderas y matrículas. Aquí mismo hizo explosión en 1894 el navío "Cabo Machichaco", que llevaba un cargamento de dinamita consignada a la guerra sudafricana. La voladura destruyó los edificios de la zona portuaria y causó centenares de muertos.

Muy cerca, desde las frondas del parque, en lo alto de una roca-monumento, José María de Pereda atisba el horizonte rodeado de los personajes de sus obras.

Pereda integró el grupo intelectual que, en la casa de Benito Pérez Galdós, reunía a gentes de ideas tan opuestas como Juan Valera y Menéndez Pelayo. Y hasta un niño, cuyo padre asistía a las tertulias, que prefería escuchar subrepticiamente las conversaciones en vez de corretear por el jardín: Gregorio Marañón. Esta tradición cultural ha dado figuras científicas como Juan de la Cosa, García de Linares, Sáenz de Sautuola y Torres Quevedo. Literarias, que van desde el Marqués de Santillana y Garcilaso de la Vega, a Amós de Escalante, Telesforo de Trueba y Gerardo Diego. Una de estas figuras, Concha Espina, nos recuerda su sensibilidad ante un estanque romántico, rodeado de sauces. Y detrás, el medallón dedicado a su hijo Víctor de la Serna.

Calle de Juan de Herrera y antigua iglesia de la Anunciación o de la Compañía.

La Plaza Porticada, escenario del Festival Internacional de Música y Danza.

EL INCENDIO Y LA RECONSTRUCCION

Quizá tanta fertilidad y afición literaria se deba a la predisposición dramática de una ciudad como Santander que, muy en contacto con la naturaleza del mar y la montaña, afronta su vida rica en efemérides gozosas o trágicas. Porque esta moderna urbe no es el producto de un calculado ensanche, ni de una renovación progresiva de las construcciones, sino de un acontecimiento que, aun en su desgracia, abrió nuevos horizontes a su existencia.

Embarcadero de las lanchas de la bahía que llevan a las playas.

Puertochico. Balandristas preparando sus aparejos para gozar de la brisa marina.

Los entusiastas de las inmensas playas del otro lado de la bahía acuden a ellas dándose un paseo marítimo.

El 15 de febrero de 1941, un simple cortocircuito eléctrico inició un incendio que convirtió las dos terceras partes más céntricas de la ciudad en un inmenso brasero, sin que nada pudieran hacer contra él los medios humanos. Aunque, milagrosamente, la capital montañesa sólo pagó el tributo humano de una sola víctima, quedaron arrasados los edificios nobles y las sencillas viviendas de las viejas rúas; un total de 369 edificios, que dejaron sin hogar a 20.000 personas, fueron pasto de las llamas y con ellos desapareció la vida económica —mercantil— de la ciudad. De toda la vieja puebla sólo quedaron en pie los muñones calcinados de la fortaleza catedralicia, encaramados en la roca y, a la vera de la Plaza Vieja ya borrada del mapa, la iglesia de la Compañía, fundación de Doña Magdalena de Ulloa, la que fuera aya de Don Juan de Austria, cuyos escudos todavía campean en la fachada principal.

De aquel montón de escombros resurgió la moderna ciudad, de calles amplias y rectilíneas. Se han allanado los cerros y se han abierto nuevas avenidas donde antes había escarpados barrancos. Esta ciudad es comparable a aquella del misterio nostálgico de las plazas recoletas y calles tortuosas que se fueron.

Vista del Club Náutico.

Cruceros y yates de todas las banderas en este puerto deportivo amplio y abrigado.

Instalaciones de construcción naval, herederas de las históricas Atarazanas, muestran los buques dispuestos a ser botados al agua.

◁ Panorámica del puerto (páginas 24/25).

EL PUERTO

El Paseo de Pereda, tendido a lo largo del puerto, es la *city* de los negocios marítimos: entidades bancarias, "escritorios", consulados y consignatarios. En sus casonas decimonónicas habita la burguesía enriquecida en la laboriosa coyuntura santanderina del siglo pasado, cuando era el puerto-llave del comercio de Castilla con Centroamérica y el Caribe. Los ruidos de las grúas, el chillido de las gaviotas, las sirenas de los barcos, suben hasta los miradores y penetran en los salones isabelinos que guardan los abanicos antillanos de nácar, los mantones de Manila, la repujada plata mejicana y las fotos amarillentas de fragatas y capitanes.

La raza montañesa ha sido siempre tentada por la emigración. Sin que le obligue una miseria extrema, porque no ha sido jamás ésta una tierra de grandes desigualdades sociales ni de penuria productiva, sino por gusto de la aventura, por la tentación de la fortuna. El montañés ha buscado nueva vida en América o Filipinas, con el designio de volver de "indiano" algún día, más que rico, reverenciado, para reconstruir la casa de sus mayores, desempolvar pergaminos de su estirpe y derramar beneficencia con fundaciones y dádivas.

Otros emigrantes, menos audaces, los "jándalos", se contentan con llegarse hasta Sevilla, Cádiz y Los Puertos y se asimilan pronto con los andaluces, cuyo acento y maneras adoptan, afincándose allí definitivamente y no regresando más que de visita. Es minoría la moderna emigración a zonas de más desarrollo industrial o a la Europa del milagro económico.

Los que se quedan satisfacen más modestamente sus ansias de aventura con

Los barcos pesqueros animan esta vista de la bahía.

Nocturno en la bahía con los pesqueros recalados al abrigo de las galernas cantábricas.

excursiones náuticas por la bahía, en las que, en cualquier momento, puede surgir la sorpresa de las traineras de Pedreña o Astillero surcando las aguas como flechas a impulsos de sus remeros, o el espectáculo insólito de una carrera hípica a la vera de las olas, corriendo los cinco kilómetros de playa del Puntal de Somo.

La expansión de la ciudad, ganando continuamente terrenos al mar, ha ido desplazando este barrio, sucesor de la vieja puebla originaria. Los antiguos cabildos —de San Pedro, gallardete blanco y rojo, y de San Martín, blanco y azul— establecidos en las calles Alta y de la Mar, pasaron a Puertochico, donde por fin reconciliaron sus rivalidades en la pesca, el remo, la taberna y la calle. Y de aquí, al moderno barrio en el fondo de la bahía, en el que se concentran las instalaciones frigoríficas, la dársena con sus varaderos, las terminales de transportes que llevan el pescado al interior de la Península, los viveros, las fábricas de derivados y conservas, y la Lonja de Contratación. Y en su torno, la algarabía de los establecimientos de comidas, que ofrecen el pescado fresquísimo y variado que salta, ante sus ojos, de la barca al asador en que los hombres de mar lo condimentan con su propio estilo culinario.

Inolvidable entrada en Santander por mar: El Sardinero, la isla de Mouro y la península de la Magdalena.

Los jardines de Piquío, derroche de colorista belleza natural.

*Desde la Pérgola de Piquío
podemos asomarnos a la Primera y
Segunda playas, sin olvidarnos de
la placidez de dirigir nuestra mirada
hacia el mar infinito.*

Desde Piquío
podemos
envidiar la
ociosidad de
los bañistas.

Los jardines
de Piquío
realzan la
belleza
natural de las
playas del
Sardinero.

BIBLIOTECA Y CASA DE MENÉNDEZ PELAYO, MUSEO MUNICIPAL Y CASA DE LA CULTURA

La vida cultural santanderina tiene su corazón y su cerebro en la figura de Marcelino Menéndez y Pelayo (1856-1912), polígrafo, investigador y formulador de principios sobre los que se asienta la ciencia histórica, literaria y artística de España. Asombroso ganador, a los 21 años, de la cátedra de Historia de la Literatura de la Universidad Central, pronto Académico de la Lengua y más tarde Director de la Biblioteca Nacional, atesoró en su casa natal sus más preciadas joyas bibliográficas. Entre los 40.000 libros y legajos que llegó a reunir, se encuentran manuscritos de Quevedo y Lope de Vega, el ejemplar de las *Enneadas de Plotino,* que Lorenzo el Magnífico regalara a Isabel la Católica, incunables valiosísimos y los originales de sus obras, la *Historia de las Ideas Estéticas* y la *Historia de los Heterodoxos Españoles.*

El edificio de la Biblioteca fue inaugurado en 1923 frente a la pequeña casa en la que nació y murió. Se le añadió otro cuerpo que constituye la Casa de la Cultura, la Sección de Fondos Modernos (70.000 volúmenes) y el Museo Municipal de Pinturas, que contiene una colección de pintores locales, junto con alguna tela de Goya, Zurbarán, Valdés Leal y Van Shoort.

Salón de lectura de la Biblioteca Menéndez y Pelayo.

Los Piteros,
óleo de
Ricardo
Bernardo, que
representa
una escena de
gran sabor
folklórico
montañés.

¡Jesús y adentro!, *de Pérez de Camino,* cuadro regalado por un grupo de amigos a *José M.ª de Pereda,* representa la escena cumbre de su libro Sotileza.

La cagigona, *de Agustín Riancho. Paisaje de la Montaña, con las vacas pastando a su generosa sombra.*

Piezas del Museo de Prehistoria. —Epoca prehistórica: punta de flecha de cuarzo transparente. —Hacha. —Venus de El Pendo, de asta de ciervo. —Grabados y arpones de hueso. —Epoca romana: estela funeraria doble. —Pomo de ámbar. —Neptuno cántabro de bronce. — Taza de terra sigillata. —Sortija y pendiente de oro.

Monumento de la Naturaleza, el Puente del Diablo no asusta a las vacas
que lo cruzan sobre el abismo.

En la cumbre de Peña Cabarga (504 m. de altitud), dominando la mayor parte de la Provincia, el monumento al Indiano y a la Marina de Castilla.

Cuando la luz natural decae en el Sardinero, las luces del Casino anuncian el comienzo de unos momentos emocionantes.

Hermoso edificio del Hotel Real. Al fondo, la península de la Magdalena.

Tres aspectos de la animada vida deportiva que se desarrolla en Santander.

EL SARDINERO

Todo este espectáculo, desde la Avenida de Reina Victoria, nos conduce a la bandeja dorada de El Sardinero, que se descubre al volver la pronunciada curva de La Magdalena, donde el bronce del poeta José del Río Sáinz parece que acaba de dejar el barco del que era capitán. La monarquía borbónica puso de moda este lugar de verano, a finales del siglo pasado, al recibir como regalo de las fuerzas vivas de la ciudad el bello castillo marítimo de La Magdalena, que tiene a gala no repetir los adornos de sus alas, todas asimétricas y distintas, de estilo inglés. A su alrededor se alzaron, du-

Cañón-recuerdo del crucero «Almirante Cervera», veterano de la Armada española, y hoy pacífico adorno de los jardines de Rubén Darío.

rante la despreocupada época de entreguerras, las casas aristocráticas del séquito real y de los industriales y comerciantes favorecidos por la Guerra Europea. Pero estos chalets, construidos bajo firmas arquitectónicas de prestigio, van siendo reemplazados o sitiados por los complejos residenciales modernos, en busca del privilegio del aire incontaminado y las avenidas tranquilas festoneadas de árboles.

Desde el jardín-mirador de Piquío —que hiende las aguas como la proa de un barco— podemos contemplar, en las serenas tardes estivales, la complejidad y afán de las faenas pesqueras, al mismo tiempo que la inestimable

El Sardinero acoge a los veraneantes, ansiosos de refrescarse en sus playas.

Puesta de sol desde el faro de Cabo Mayor.

belleza del horizonte. Y las playas inmensas, a ambos lados, que jamás están vacías, porque, si en el verano son delicia para bañistas, son en invierno campo de honor en que se enfrentan los equipos de fútbol de "veteranos", compuestos por aficionados de todas las profesiones, de todos los barrios y de todas las edades.

Todo a lo largo de estas arenas finas, una terraza continua ofrece la sombra de los tamarindos y los refrescos de los establecimientos a quien prefiera, desde esa alevosa comodidad, atisbar a los bañistas, menos envueltos en prejuicios que las damiselas y galanes de la corte de Isabel II, que fueron los primeros entusiastas de los "baños de ola" de El Sardinero... con la prevención de unos robustos "bañeros" del país.

El rosario de playas se inicia con La Concha, que dicen recibe su nombre de una ermitaña que poco imaginaría lo que con el tiempo iba a llegar a ser el lugar de sus penitencias. Luego vienen las dos grandes, inagotables ni con la más alta marea: la Primera y la Segunda, así de sencillamente clasificadas y denominadas porque no necesitan más encomio. A poco, cerca de la restinga del Cabo Menor, la pequeña cala recóndita de Los Molinucos. Y la última, la de Mataleñas, preferida de los habitantes del próximo *camping,* ya bajo los escarpados cantiles de Cabo Mayor.

Más allá, doblado este Cabo, empieza el mar de verdad y se acaban las bromas con el Cantábrico que, si accede a ser juguetón y gentil en verano, se torna después feroz y levantisco, y azota con latigazos salobres los solitarios paseos melancólicos. En estas galernas terribles, que tardan días en aquietarse, su furia hace pasar las enormes olas montañosas y rugientes por encima del faro de la isleta de Mouro, que guarda la entrada de la bahía. Y estas ásperas orillas se pueblan de entusiastas espectadores de la cólera del

La isla Horadada y, sobre ella, la luz que señala la ruta segura a los barcos que abocan el puerto.

*A los pies del Palacio de la
Magdalena, los estudiantes de la
Universidad Internacional
Menéndez y Pelayo se refrescan en
las apetecibles aguas de la Playa de
la Magdalena.*

mar, que —con la misma paciencia que los pescadores de caña de los días de
bonanza— no se cansan de contemplar las figuras irrepetibles que forma el
oleaje al desparramar su espuma sobre las rocas.

El martilleo eterno contra la costa ha creado su línea caprichosa y variada,
produciendo accidentes naturales que admiran por su espontánea belleza
escultórica. La Punta del Rostro, en Piquío; el Camello, esbelta figura

de este navegante del desierto, en la ensenada al pie del Palacio de la Magdalena; La Horadada, isleta en forma de puente cuyo arco perfecto disputa al mar la piadosa leyenda que le atribuye al barco de piedra que condujo hasta Santander, bajando el río Duero hasta su desembocadura en Coimbra y bordeando luego la costa cantábrica, las cabezas de los Mártires patronos. Pero quizá por la influencia céltica de estas riberas, también se concede al mérito del diablo el Puente producido por la erosión, muy cerca del faro de Cabo Mayor, próximo también al León de Mataleñas. Y aseguran los co-

Playa de Mataleñas. Aguas transparentes y tranquilas acarician su limpia y fina arena.

nocedores, que las gentes que se marean navegando por la bahía se curan instantáneamente al cruzarse con la roca de El Galeno, en la punta sur de la península de La Magdalena.

Otros sueños, los de la fortuna, anidaron en el edificio muy *belle époque* del Gran Casino, en tiempos fastuoso marco de saraos y recepciones, banquetes, lances galantes y, por supuesto, reveses financieros de los que alguno terminara en tragedia.

Hoy, en los clubs y bares que le rodean, la diversión y el descanso se justifican en la utilidad, el merecimiento, y en la generalidad de su disfrute —no en la frivolidad y el privilegio— enmarcándose en un ambiente sincero y de superior calor humano.

El Palacio de la Magdalena desde el mar. Orfebrería de luces, agua, roca y sombras para la última mirada antes de partir.

El Palacio de la Magdalena es la sede de la Universidad Internacional Menéndez y Pelayo.

La península de la Magdalena nos sorprende con un original zoo, inserto en la naturaleza.

FOLKLORE

De los residuos etnográficos cántabros, queda la danza guerrera de Ibio y "Los Arcos" y "Los Picayos", que se bailan ante los Santos Patronos el día de la romería. Los bailes "a lo alto", "a lo llano" y "a lo ligero", son jotas vivísimas, marcadas por el ritmo del pito y tamboril o del primitivo rabel, que suelen rematar los agudos "¡Ayjujujú!" pastoriles. La expresión es fundamentalmente colectiva, de coros y rondas, que entonan —en la noche de Reyes, en las "Marzas" y en las "Mayas"— canciones de delicada fuerza lírica:

Pasiegos y trasmeranos con sus vestidos regionales.

Típica cocina montañesa, conservada en el Museo Etnográfico existente en la casa natal de Pedro de Velarde.

"Camberuca guapa,
cambera florida,
en los respindiajos
de las tus orillas
hay unas florucas

con morás espinas
"amores" les dicen...
y son florecillas;
¡Qué sabio es el pueblu,
madruca querida!"

Desde el puerto de Alisas se contempla esta vega en la que destacan los prados y sembrados propios de «La Tierruca».

El castellano de La Montaña, además de vocablos locales (cambera = senda entre prados; respindiajos = zarzas), se caracteriza por usar el diminutivo cariñoso de "uco", "uca" y una expresiva acentuación de su clásica estructura fónica.

LAREDO

Una mañana de 1823, el General del Ejército francés barón De Schoeffer —ante la estupefacción de los militares españoles que le acompañaban en el paseo— se colocó un cinturón de corcho sobre la camisa y se entretuvo nadando en la playa de La Salvé. Y quedó tan complacido que dispuso a continuación que se bañaran los 5.000 soldados de Luis XVIII allí acampados para apoyar el absolutismo de Fernando VII.

Es cierto que los franceses aman tanto a Laredo que la han codiciado siempre, sitiándola varias veces y llegando a conquistarla y ocuparla en 1639 y en 1808.
Pero esta novedad del baño —imitada a renglón seguido por los laredanos, como rito popular— fue la verdadera conquista pacífica de Laredo, que es, durante unos meses al año, "la villa más española de Francia". Si bien, el remate de la conquista fue la abolición, por superadas, de las ordenanzas municipales que prescribían una prudente separación de 150 brazas de "tierra de nadie" entre ambos sexos.

Vista parcial de Laredo y de su puerto pesquero.

Los jardines de la Plaza del Cachupín
—cachupines eran los nuevos ricos que
tornaban de América— sirven de
florido recibimiento a los que llegan a
la villa.

Se tiene noticia cierta de la erección por Alfonso I, hacia el año 750, del castillo de Pedregal, ante cuyos muros se fue extendiendo la puebla vieja, frecuentemente asaltada por los normandos y berberiscos. Simultaneando los laredanos su duro trabajo de pescadores en lejanos mares boreales con el permanente estar en pie de guerra, adquirieron un celoso y obstinado espíritu de ciudadanía que ejercieron frente a la presión de las casas nobles. Y en la crisis política castellana del siglo XVI estuvieron de parte de los Comuneros.

La importancia estratégica y su dominante recinto fortificado dieron a Laredo el Bastón o capitalidad de las Cuatro Villas de la Costa del Mar de Castilla (Laredo, Santander, Castro Urdiales y San Vicente de la Barquera), importancia que perdió en 1801 en beneficio de Santander, que hizo prevalecer su lenta y progresiva fuerza comercial sobre la militar de Laredo.

Laredo, dotada de una bahía sin par, adecuada para todos los deportes náuticos, con una espléndida playa de más de cinco kilómetros, de suave y acariciante arena, aparece como capital de la «Costa Esmeralda» (páginas 56/57).

Fue puerto favorito de los reyes en sus viajes a Europa. Isabel la Católica despidió aquí, en 1496, a su hija Doña Juana ("la Loca"), en su marcha a Flandes para contraer matrimonio con Felipe el Hermoso. Y durante su estancia en la Villa, la reina recibió el homenaje del santoñés Juan de la Cosa, autor de la primera carta geográfica de América y propietario de la nao "Santa María" en que Colón descubriera el Nuevo Mundo. También de Laredo partiría para Inglaterra, en 1501, otra hija de los Reyes Católicos: Catalina, la desafortunada esposa de Enrique VIII.

Pero la efeméride que por más honrosa tienen los laredanos, es la llegada del Emperador Carlos V, en 1556, tras haber abdicado en Bruselas en su hijo Felipe II la corona de España y en su hermano Fernando la imperial. El Emperador, abrumado por sus achaques y por su crisis espiritual, al pisar el muelle de Laredo, se arrodilló trabajosamente, besando el suelo español, y exclamó: "¡Salve, madre! A ti vuelvo, desnudo y pobre, del mismo modo que salí del vientre de mi madre.

Ruégote recibas este mortal despojo que te dedico para siempre, y permite que descanse en tu seno hasta aquel día que pondrá fin a todas las cosas humanas".

Después de una breve estancia, abandonó esta costa placentera para dirigirse a su rincón de Yuste, en la austera Extremadura.

Antes de partir, dispuso las atenciones convenientes para doña Bárbara de Blomberg, la madre de su hijo natural Don Juan de Austria, a la que instaló en Laredo, más bien como confinada. La tradición la recuerda aún por el nombre de "La Madama", y aquí falleció en 1597, víctima de una epidemia de peste.

Nuestra Señora de la Asunción (siglo XIII).

Esta pieza, en el Museo de la misma iglesia, se supone que representa antropomórfi- camente a la Santísima Trinidad. Por esta razón es excepcional.

La Rua Mayor y el puerto de Laredo.

EL "BOOM"

Antes de que Laredo perdiera el Bastón o capitalidad, en beneficio de Santander, pudo ser protagonista de un fabuloso proyecto económico, de los últimos que imaginaran los ilustrados consejeros de Carlos III. El proyecto de canal de unión del Mediterráneo con el Cantábrico —de fundamental valor estratégico, para obviar la importancia de la base inglesa de Gibraltar— hacía figurar a Laredo como cabecera septentrional de esta vía. El ingeniero Pignatelli realizó, en 1786, los estudios previos del puerto, ría de Colindres y curso del Asón. Pero más tarde se estimó utópico el propósito, y éste quedó abandonado, contentándose a Laredo con la promesa de un puerto amplio y bien dotado, que proyectó el ingeniero Müller en 1790. Tampoco llegó a realizarse, sino parcialmente —en 1863-1883— y tan insuficiente a todas luces, que cortó el desarrollo marítimo de la villa. Su vida lánguida, reducida a una modestísima economía de categoría comarcal, terminó en la década de los 60, cuando el pueblo laredano, perspicazmente impulsado, decidió ofrecer al mundo, para el reposo y la confraternidad, sus prados esmeralda, su playa inacabable, el atractivo de sus costumbres tradicionales y la hospitalidad de sus habitantes. Miles de familias de toda Europa, —principalmente de Francia— respondieron a este llamamiento y

hoy son asiduos residentes de la villa, a la que dedican sus vacaciones de verano, Navidad, Semana Santa y Pascua, disfrutando de los apartamentos que poseen en propiedad o alquiler.

El secreto de esta predilección del turismo estable reside en la sorprendente armonización del tipismo con el *confort* moderno. Al pie de los rascacielos, el mundo "pejino" de Laredo sigue imperturbable su marcha pescadora y campesina. Aquí las *boîtes* y los restaurantes y enfrente las mujeres remendando las redes al sol, o los marineros calafateando las barquías, o comentando las cuestiones de pesca. Allí, la lavandería y el *snack,* ante los cuales pasa la lechera con su borriquillo cargado de ollas, al tiempo que unos jóvenes aturden con su motocicleta "in". Un momento cruzará, entre devoción y recogimiento, una procesión. Y otro, nos desconcertarán las variadas vestimentas de época de una película que se rueda. Por ejemplo, durante el rodaje del *film* "El coloso de Rodas", más de un capitán de barco creyó ver visiones ante la reproducción del enorme hombrefaro helénico que, durante unos días, asentó sus pies en los espigones del puerto laredano.

Magnífica panorámica de la playa de la Salvé.

LA BATALLA DE FLORES

Desde hace muchos años, en uno de los maravillosos atardeceres de su triunfal mes de agosto —en que el sol poniente arranca destellos de oro de las azules aguas plácidas— celebra Laredo una fiesta popular, multitudinaria y alegre. Esa tarde, los artesanos de la comarca rivalizan en la presentación de sus carrozas floridas, con poéticas alegorías de temas fantásticos, marinos, de pájaros, mariposas, de caracolas, dragones y gnomos, sin olvidar la alusión o la parodia del tema de actualidad, tratado con despiadada ironía cántabra. Con el fondo musical de los coros, rondas, orquestas y bandas de *majorettes,* desfila en el anochecer la cabalgata, ante un público regocijado que intercambia amables proyectiles de flores, confetti y serpentinas con las bellas muchachas que encarnan las alegorías. Obtener de ellas una sonrisa, o siquiera una mirada, es el preciado trofeo de esta batalla, en la que enardece el aroma de las flores y no el de la pólvora, y en la que las heridas pueden ser todo lo más del corazón y las prisiones de enamoramiento.

PROYECCIÓN MUNDIAL DE LAREDO

Como todos los cántabros, los hombres de Laredo han sentido también la tentación de las Américas. Compañeros de Colón, a las órdenes de Juan de la Cosa, ojos laredanos contemplaron, en el amanecer del 12 de octubre de 1492, las prometedoras costas del Nuevo Mundo. El capitán Hernando de Albarado fue uno de los trece que cruzó la raya que Pizarro trazara con su espada para probar la resolución de los conquistadores del Perú. En Laredo estuvo en 1799, en su viaje para seguir sus estudios, un muchacho llamado Simón Bolívar, que con el tiempo sería el Libertador de América y paladín de la unidad iberoamericana. Laredanos han gobernado México y Filipinas y engrandecido con su trabajo a sus patrias americanas de adopción. Y de su paso quedan los toponímicos con que recordaron su humilde y noble villa pescadora: Laredo, de Venezuela, Laredo en Perú y, a ambos lados del Río Grande, el Laredo de Texas (Estados Unidos) y el Nuevo Laredo mexicano.

Paz y tranquilidad en los atardeceres de Laredo.

Plaza de Ramón Pelayo en la que se encuentran las torres del Merino (siglo XIII) y de los Borja (siglo XIV).

El ayuntamiento de Laredo aparece en la castiza plaza del Cachupín. Aquí se recibió a Carlos I que desembarcó para dirigirse a su retiro de Yuste.

SANTILLANA DEL MAR

Se ha parado el tiempo. Resuenan nuestros pasos sobre las losas y el eco de los muros blasonados nos los devuelve, mezclados con alguna distante voz de pastor, chirriar de carreta o afilado de guadaña. De las opulentas laderas verdes nos llega el rumor de los árboles y los olores del maizal y de la hierba, y, a las horas, la nítida campanada de la Colegiata se deja extinguir en el aire como el son de un cristal.

Cualquiera de estos modestos campesinos que, conduciendo el ganado al abrevadero o el carro al pajar, cruza sin prisa las calles empedradas, tendrá en su genealogía virreyes de Indias, cardenales de la Iglesia, maestres de Ordenes y mariscales de Flandes, junto con labradores, menestrales, pescadores y hasta mendigos, que la condición de "hidalgo" no suele estar reñida, sino más bien pareja, con la pobreza. Y lo tendrán a gala, haciéndolo constar así en los padrones que se guardan en los municipios. La hidalguía era un grado aparte del estamento noble, anterior a la misma realeza. Aunque sus prerrogativas fueran pequeñas, ni el rey podía hacer a nadie hidalgo, por más que tuviera potestad para coronar a otros reyes, conceder ducados y feudos y armar caballeros. Hidalgo se nacía y se transmitía por herencia, a veces la única. Esta importancia personal dio pie a una soberbia perezosa, conservadora de piedras y convencionalismos, tenaz en un aislamiento desdeñoso y estéril. Los pergaminos y dignidades cerraron para siempre el futuro de esta antigua capital de las Asturias Orientales, dejándola dormida a la vera del camino, como testimonio de otras épocas.

El núcleo visigodo resistente a la invasión árabe creó el monasterio de Sancta Juliana —Sant Yllana— en torno al cual se fue edificando la puebla. En el siglo XI se inicia

Vista parcial del claustro de la Colegiata y detalles de los capiteles.

El evangelista San Lucas: detalle del retablo del altar mayor de la Colegiata. ▷

el precioso templo románico, ya de categoría colegial. El señorío del Abad, regidor de la villa, fue disputado por las poderosas familias de los Manrique y los Mendoza, prevalenciendo la fuerza de la viuda de Don Lope de Mendoza, madre del luego famoso poeta y afortunado amador por las sierras de Liébana y Gredos, que fue el Marqués de Santillana.

La Colegiata, de puro sabor románico, fue terminada en el siglo XIII y el claustro nos ofrece la variedad de los capiteles que coronan sus dobles columnas, todos ellos con alegorías religiosas e históricas.

Por las calles, los palacios, y las casas nobles —humildes u ostentosas— del marqués de Benamejís, de los Villa, de los Gómez-Estrada, de los Bustamante y de la Cueva, de los Velarde, del Marqués de Santillana, de los Valdivielso, de los Cossío y los Quevedo, de la Archiduquesa de Austria, de la marquesa de Torralba, de la princesa de Bagration, de los Tagle... y de Gil Blas, pícaro enredador que pasó a la literatura universal de la mano del francés Lesage.

El arte nace en Altamira, alcanzando su apogeo en estos fabulosos animales prehistóricos, que aparecen en la bóveda de la cueva.

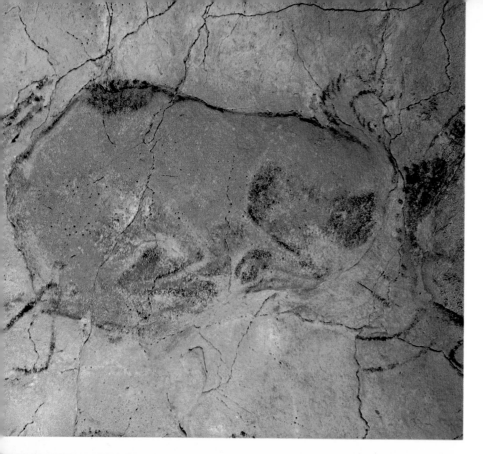

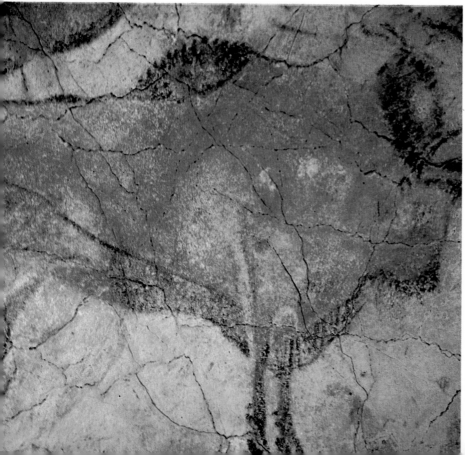

El artista prehistórico,
aprovechando el relieve natural,
plasmó este bisonte acostado.

Otro bisonte pintado que quizá
servía como motivo de culto para la
caza.

ALTAMIRA
"LA CAPILLA SIXTINA DEL ARTE CUATERNARIO"

Un estudioso santanderino, Sáinz de Sautuola, ante unas muestras arqueológicas de la Exposición Universal de París de 1878, intuyó que, en una cueva cercana a su residencia, que él ya había visitado superficialmente años antes, tenían que existir interesantes vestigios prehistóricos. De regreso a Santander, se apresuró a comprobarlo y fue su hijita María, de nueve años, que le acompañaba en la exploración, la que señaló, a la luz de la antorcha, los bisontes, jabalíes, ciervos y caballos de la bóveda.

El descubrimiento de estas pinturas modificó totalmente los criterios científicos sobre la sicología y grado de cultura del hombre paleolítico (más de 14.000 años), confirmando la existencia en él de un sentimiento religioso, o mágico, o histórico, manifestado plásticamente a través de estas figuras.

El arte rupestre se encuentra
también en numerosas cuevas de
Puente Viesgo, en cuyas cavernas
las notables pinturas se combinan
con caprichosas estalactitas y
estalagmitas.

Comillas. —Panorámica general. Al fondo, sus hermosas playas y el compacto bloque que fue Universidad Pontificia. Se encuentran también ubicados en Comillas, el Palacio de los marqueses de su nombre y los Museos de Curiosidades Filipinas, de Imaginería Castellana y General Etnográfico y Arqueológico.

EL EJE COMILLAS · BARCELONA · FILIPINAS

Esta histórica "villa de los Arzobispos" —en ella nacieron príncipes de la Iglesia de vocación misionera, que ocuparon las sedes de Lima (Perú), Sonora (México), Charcas (Bolivia), San José (Guatemala) y el priorato de Montserrat— es hoy una encantadora residencia de elegante veraneo, coronada por un frondoso parque de amplias panorámicas, en el que se halla el palacio marquesal. Lo hizo construir el fundador de la dinastía marítima de los Comillas, oriundo de esta villa, que tendió las líneas comerciales transatlánticas españolas de fines del pasado siglo, desde Barcelona a América y Filipinas. En el bello edificio, decorado con frescos de Sert y teniendo a su lado, en un rincón del jardín, un pabellón debido a Gaudí, esta familia ofrece gustosamente al visitante los recuerdos del Museo Filipino, al que añadieron unas notables colecciones arqueológicas y, recientemente, magníficas muestras de la imaginería castellana de los siglos XVI y XVII.

SAN VICENTE DE LA BARQUERA

Una de las Cuatro Villas dependientes del Bastón de Laredo, es antecesora de Comillas y dio origen a esta última al desplazarse su población en tiempos de los Reyes Católicos.

San Vicente de la Barquera es, en toda su circunferencia, la panorámica más pintoresca de La Montaña. No es frecuente poder reunir, en un mismo encuadre, el horizonte marítimo y las olas, la playa, la verde campiña salpicada de aldeas y cabañas, la alta montaña con nieves perpetuas, el río y los puentes, las calles en torno al castillo, la apretada judería y el reflejo de todo en las tranquilas aguas del lago.

Por su puerto, todos los años, en un domingo de mayo, la costumbre popular pasea en procesión marítima la imagen de su patrona, la Virgen de la Folía.

San Vicente de la Barquera. Al fondo, la fortaleza medieval del siglo XII y la iglesia de Nuestra Señora.
El viento del Sur acerca los Picos de Europa, dando a San Vicente de la Barquera un aspecto maravillosamente inédito.

CAMPÓO Y EL NACIMIENTO DEL EBRO

Los Campóos —el de Suso o alto, el de Yuso o bajo y el de Enmedio, con capitalidad en Reinosa— son ya el anticipo de la Castilla mesetaria y austera. Sus trigales y ríos trocan en otoño los verdes y amarillos en una paleta de ocres, oros y sepias. Del Pico Tres Mares (2.175 m.) —origen de ríos que vierten al Cantábrico, al Atlántico y al Mediterráneo— baja un hilillo de agua plateada, luego potente y majestuosa a lo ancho de toda España: el Ebro, el Iber romano que dio nombre a Iberia.

Sus aguas, antes de transformarse en fertilidad para las viñas riojanas, los cereales y olivares de Aragón y el arrozal levantino, han sido quieto pantano condescendiente con el remo y la vela. Y, antes, pista de blanquísima nieve, en Braña Vieja, estación invernal frecuentada por los esquiadores. Campóo es el secular punto de concentración del ganado lanar transhumante, que llega en verano desde Extremadura y La Mancha, sediento de los pastos refrescados por la brisa cantábrica. Y por él, a través de los collados y gargantas de la "Ruta de los Foramontanos", bajaban a su cita con el mar los hombres de tierra adentro.

Braña Vieja. Estación invernal de gran atractivo para los deportistas.

Entre estas alturas, en las breñas, en un paraje de gran frondosidad y belleza, en Fontibre, brotan las aguas del que llegará a ser caudaloso Ebro.

LIÉBANA Y PICOS DE EUROPA

"Puso Dios en mis cántabras montañas auras de libertad, tocas de nieve, y la vena del hierro en sus entrañas."

M. Menéndez y Pelayo. 1878

En estos riscos de alta cresta nevada, umbríos barrancos inexpugnables, florestas espesas en las que reina el oso, retozan el jabalí y el corzo y grita desafiante el urogallo, y en los que —a trechos— se ofrecen viñas prometedoras de áspero vinillo y ardiente orujo, y suaves huertas de sabrosas manzanas y guindas, tuvo su asentamiento el grupo de caballeros de Pelayo que, con el tiempo, forjaron Castilla. Liébana fue el refugio de la fe y la cultura gótico-romanas en el período más difícil de la nueva España. El monasterio de Santo Toribio —depositario de la reliquia del "Lignum Crucis", atribuido al brazo mayor de la cruz de Cristo— irradió su fuerza espiritual a más de cuarenta cenobios repartidos por la comarca. Mientras los duros guerreros rechazaban la invasión árabe, los laboriosos monjes lebaniegos alternaban los códices y los pergaminos con el arado y la cayada de pastor.

En los Picos de Europa, 800 metros de desnivel entre Fuente Dé y el mirador de El Cable, salvados por medio del teleférico, alcanzaremos la sensación de un vuelo de águilas en una naturaleza salvaje.

Alma de la retaguarda cristiana, los frailes de Liébana fueron también arquitectos, maestros canteros, escultores y orfebres, que nos legaron el ingenuo primor de las iglesias y ermitas de la zona. El monasterio principal, llamado de San Martín, antes de recibir el nombre de su santo obispo protector, ha sido objeto de muchas reformas y adiciones —sobre su primitiva planta del siglo IX—.

Tiene partes góticas, barrocas y una arriesgada reconstrucción moderna que ha tratado de armonizar todo ello, salvando los detalles más significativos. En el monte que rodea Santo Toribio, multitud de ermitas nos hablan de fervientes penitentes solitarios.

Muy cerca se alza Santa María la Real de Piasca que guarda una cruz esmaltada, verdadera joya medieval. Es de estilo románico, aunque presenta elementos góticos debido a las reformas que sufrió posteriormente.

También la iglesia de Santa María de Lebeña —fundada hacia el año 930 por el conde de Levana y su esposa Justa— cuya arquería interior —quizá mozárabe— posee en sus elementos ornamentales un indudable sabor oriental. Aquí, en Lebeña, se inicia el impresionante desfiladero de La Hermida, entre cuyos peñascos salta el río Deva, cuyos rápidos y remolinos hacen más meritoria la hazaña deportiva de su descenso en piragua.

TORRELAVEGA

El caballero cristiano Garcilaso de la Vega, que —frente a la muralla mora de Granada— arrancó el cartel con el lema «Ave María», que llevaba en la cola de su caballo el enemigo derribado, lo trajo como trofeo y lo incorporó al escudo de su señorío, en esta confluencia de los ríos Saja y Besaya. Y luego, en las estancias austeras de su Torre de la Vega —cuyos restos, planta cuadrada y muros lisos, son típicos de las torres montañesas— atento al palpitar de la Europa renacentista, tejió los más perfectos endecasílabos de nuestra lengua, acabando definitivamente con el trabajoso expresarse lírico de la Edad Media.

Estar atento a lo que exige cada momento histórico es la virtud de Torrelavega, que ha sacrificado piedras y usos para afrontar las exigencias de la civilización industrial, aunque al pasear sin rumbo por entre sus calles encontremos recuerdos de gran valor artístico tales como su iglesia —construida según los esquemas del estilo neogótico— en la que se conserva un bello Cristo, obra del escultor neoclásico Juan de Adán.

Los penachos de humo de las fábricas de su panorama, la sinfonía de máquinas, grúas y hornos, son la muestra de su vigor ciudadano y de su propósito de avanzar con pasos firmes hacia el futuro.

MIRADOR DE LA PEÑUCA

Pero no es solamente fabril el prestigio torrelaveguense. Además de sus fábricas de productos químicos, fibras textiles, neumáticos, plásticos, etc., Torrelavega no ha renunciado a su vinculación tradicional con la mejor zona ganadera de España y sigue siendo la capital nacional del mercado vacuno.

Los domingos primero y tercero de cada mes, bajo la inmensa bóveda del modernísimo "Ferial de la Llama", se transfieren miles y miles de cabezas a compradores de todos los puntos cardinales. El trato continúa rubricándose con un apretón de manos —que vale por todas las escrituras— entre vendedor, comprador y "mediador" llamado al efecto para afinar definitivamente el precio discutido con encarnizamiento. Lucha final por simple pundonor, ya que el puñado de pesetas de diferencia entre oferta y demanda se gastará deportivamente en la "robla", convite al que asisten las partes con su mediador, los acompañantes y los mirones próximos.

No abrumará nunca a Torrelavega el mal del siglo: la saturación urbana. La mayor parte de los trabajadores de sus fábricas goza de la compensación bucólica de criar vacas en sus casitas campestres que rodean la industriosa ciudad.

Muestra de una de las numerosas industrias con sede en Torrelavega.

Mientras se celebra una de las grandes ferias semanales, con repercusión en toda la economía nacional, es preciso el ordeño de las reses.

LA COSTA

En toda la bravía costa cantábrica —como en las demás costas europeas abiertas a la furia del Atlántico— es fama que, en siglos anteriores, se obtuvieron buenos provechos de los restos de barcos naufragados contra estos imponentes acantilados. Dirán todavía las consejas locales que se "ayudaban" los naufragios con el caprichoso oscilar de unas luces pendientes del collar de caballerías sueltas. Y hasta hay quien insinúa que, en los días de más furiosa galerna, muchas velas se encendían en la ermita de la Virgen de Latas, más en súplica de fructífero naufragio que de segura arribada.

Cabo Quintres. Con 138 metros de desplome, sirve de modelo en esta agreste Costa Cantábrica, que soporta los embates de una mar fácilmente embravecido.

AJO, ISLA Y NOJA

Desde la isla de Jorganes, en el abra de Santander, a la Punta del Caballo, resguardo de Santoña, se asoma al mar la Trasmiera celosa de sus fueros. Todo es una armónica marina de zafiros y esmeraldas engarzados en rocas escarpadas, alternadas con playas serenas, pueblecillos alegres —en que las yuntas labran la tierra junto a la lancha varada— coronados por recias iglesias batidas por el cierzo, que conservan ex votos marineros de todas las épocas.

En Ajo podemos admirar la colegiata románica de Santa María de Bareyo

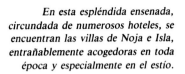

En esta espléndida ensenada, circundada de numerosos hoteles, se encuentran las villas de Noja e Isla, entrañablemente acogedoras en toda época y especialmente en el estío.

y recordar, al paso, al Padre "Polinar" —modelo de caridad ingenua e inocente retratado por Pereda en *Sotileza*— que fue profeso en el hoy ruinoso convento.

Isla es la cuna del Conde forjador de la industria naval montañesa del siglo XVIII, actualmente acogedora playa en su segura caleta.

Tras bordear la ancha ría, Noja surge con sus arenales de Trengandín y Ris. Los tres pueblos son mecas gastronómicas del marisco y el pescado.

Isla destaca por sus viveros de bermejas langostas, cantadas ya por el exigente paladar erudito del Arcipreste de Hita.

Animada visión de la playa de Isla, en cualquier día de cualquier verano. Después del baño puede uno solazarse con los mariscos de esta costa.

SANTOÑA

Desde todos los ángulos del horizonte marítimo santanderino, el hacho de Santoña asomará siempre su inconfundible silueta militar, con traza de fortaleza codiciada permanentemente por generales y almirantes de todas las épocas. Y, si bien las últimas reglas estratégicas le han privado de su primordial importancia bélica, ha sido para convertir felizmente en centros de enseñanza los inmensos cuarteles mandados construir por Felipe V. Temerarios y constantes en las empresas marítimas de las Cuatro Villas, presentes en el descubrimiento de América —en el que no fue el santoñés Juan de la Cosa el menor de sus promotores— siguen hoy los hombres de Santoña la aventura industrial de la pesca y de la conserva de pescado. La flota santoñesa trae a puerto cada año miles y miles de toneladas de capturas que se distribuyen al interior o se preparan sabiamente —con la sal de Cabezón, el aceite de Andalucía y el agua sabrosa de sus manantiales de roca— para ofrecer al mundo las afamadas anchoas y sardinas.

Es Santoña un crisol de razas que fundió elementos autóctonos con los aportados de aluvión por su historia azarosa de puerto, presidio y objetivo de guerra, forjando individuos de acusadísima personalidad. Lentos pelirrojos de sólida musculatura, probables descendientes de irlandeses, caledonios o flamencos.

Vista general de Santoña.

Iglesia de la Virgen del Puerto, en Santoña, que ostenta una bóveda de crucería estrellada, de complicada tracería, de múltiples arcos de simple y doble curvatura y magníficos medallones intercalados.

Indolentes y agudos berberiscos de pelo negro y tez bronceada. Y una numerosa colonia italiana, principalmente procedente de Sicilia, que ha tomado carta de naturaleza incorporando su sutil alma mediterránea y clásica.

Quizá encuentren una entrañable similitud entre la lejana Sicilia y esta sensación de isla que ofrece Santoña, cuando a ella se llega, tanto por mar, como por la larguísima carretera tendida sobre las aguas azules de su bahía.

Al acercarnos, lo primero que encontramos es el monasterio franciscano de Montehano, fundado por Ordoño I el año 859, encaramado sobre el mar, como un centinela silencioso rodeado de apacibles huertas con agudos cipreses. La iglesia parroquial de Santa María del Puerto es de modesta fábrica exterior, pero su interior nos sorprende con el complicado encaje ojival de sus bóvedas y un meritorio retablo flamenco policromado del siglo XVI.

Y tal es el destino marítimo de Santoña que al anillo de su plaza de toros —afición desmedida de los santoñeses, no muy explicable en estas latitudes septentrionales— se asoman curiosos los mástiles de los barcos.

Faro del Pescador, testigo mudo de las gestas de los marineros santoñeses.

*Palacio de Soñanes. —Siglo XVIII.
Los indianos a su vuelta de América
convertía su «casona» solariega en
palacio para que sirviera de ostentoso
ejemplo. En su interior, se conservan
interesantes muestras pictóricas.*

PALACIOS Y CASONAS

La piedra de labrar, abundante en las canteras abiertas en los costados de las verdes praderas, dio materia suficiente a los maestros trasmeranos que llevaron por toda España el arte de tallarla. Por ello la casona tradicional montañesa está sostenida en sillares y, muchas veces, ornada de arcos y columnas sobre los que se tenderá, a lo largo de la fachada meridional, la solana o largo balcón de barrotería torneada y la visera del alero sostenido por airosos mensulones.

La casona del hidalgo labrador se encerraba en altos muros de independencia y discreción —o, en muchos casos, de pudorosa ocultación de una vida económicamente estrecha— y reducía su vanidad a la ostentosa portalada con el escudo de armas.

Después del siglo XVII, los indianos de regreso rivalizaron en la reconstrucción de sus solares abandonados y alzaron los palacios que hoy admiramos, de severa elegancia arquitectónica exterior y grandiosidad —más que *confort*— interior, manifestada en escalinatas y salones.

LOS PASIEGOS

De todos los grupos humanos de La Montaña, los "pasiegos" constituyen el de más notoria personalidad. Su enigma histórico y étnico tanto puede proceder de raíz ibera, celta o hebrea, como gótica o morisca. Asentados en los difíciles valles del alto Pas, atrincherados en su breñas, han permanecido durante siglos impermeables a toda influencia, ajenos a todo lo que no fuera su sencilla vida labradora y pastoril, regidos por normas patriarcales, leales a los suyos y hostiles por instinto a todo extraño. Pero su

Puente romano sobre el río Miera, a su paso por Liérganes.

laboriosidad fue haciéndoles bajar de sus cumbres, para poblar los valles más bajos —Toranzo y Carriedo— y luego desparramarse por Campóo, Soba, Besaya y Miera, integrándose en el mosaico de maneras de ser que es esta provincia. Astutos, audaces, de proverbial habilidad dialéctica, pero fieles a la palabra empeñada, destaca en ellos su vigor físico, lo mismo en los varones, de extraordinaria aptitud para el salto de pértiga —con que franquean cercados y arroyos— que las mujeres, estimadas nodrizas que han criado a reyes e infantes de España.

PARAÍSO DE LA PESCA FLUVIAL

La acusada pendiente de la cordillera cantábrica —que en menos de 100 kilómetros trepa desde el nivel del mar hasta los 2.000 y 2.500 m— hace de breve curso a los ríos de la provincia, pero de aguas rapidísimas, saltarinas, que serpentean entre tupidos bosques.

Tanto el Asón como el Miera, el Pas y el Pisueña, el Besaya y el Saja, el Nansa y el Deva, son riquísimos en truchas y salmones, algunos de cuyos ejemplares asombran por su tamaño y por la sangrienta lucha de su captura. También el Ebro y sus tímidos afluentes iniciales ofrecen, además de las truchas, los sabrosos cangrejos de amenazadoras —pero suculentas— pinzas rojas.

Otro puente romano, enmarcado en un hermoso paisaje sobre el río Asón, pródigo en salmones, junto a Ramales de la Victoria.

CASTRO URDIALES

Sobre el *Castro Vardulies,* campamento de los várdulos, que participaron en la rebelión cántabra contra Roma, levantaron los Flavios la nueva colonia de *Flavióbriga.* Lo ha confirmado el miliario hallado en 1826 en el cercano pueblecito de Otañes y hay referencias de ello en los escritos de Plinio, que fue gobernador y visitante de la zona. La población romana, o la anterior cántabra, se asentaron seguramente sobre un campamento celta, posible origen de la palabra "castro" que los romanos dieron frecuentemente a sus establecimientos en el Norte de la península.

En la alta Edad Media, Castro Urdiales fue pronto incorporada al reino de Asturias y León, formando parte de la organización marítima castellana de las Cuatro Villas, dependiente de Laredo, aunque siempre muy vinculada a Vizcaya por razones de natural proximidad geográfica. Los pescadores castreños, audaces y abnegados, arponeaban ballenas en los más lejanos confines del Mar Tenebroso y llevaron este símbolo —junto con los hermosos atributos urbanos de su castillo, puerto e iglesia— al escudo de armas de la villa:

> *"Armas, escudo y señal,*
> *castillo, puente y Santa Ana,*
> *naves, ballena y mar llana,*
> *son de Castro la Leal."*

Antiguo lema que fue una anticipa-

Conjunto monumental de Castro Urdiales en que aparecen la iglesia, el castillo-faro, el puente romano y la ermita de Santa Ana, junto al puerto pesquero.

Vista aérea de Castro Urdiales. En el casco antiguo se apiñan las casas junto al puerto pesquero; la nueva zona residencial busca espacios libres.

da tarjeta postal, antes de que la cámara fotográfica superase toda la capacidad descriptiva de las palabras. Castro Urdiales no es un espectáculo para describir, sino para guardar en la retina humana o para la lente y la película en color; es para verlo y disfrutarlo.

Ya en la Edad Media, Alfonso VIII el de las Navas superó el concepto penitencial de redención por el sacrificio —base de la vida espiritual medieval— y abandonó con frecuencia sus fortalezas del interior, prefiriendo los jardines naturales y las rientes playas de Castro Urdiales a la grave monotonía mística del paisaje árido de Castilla. En Castro Urdiales tuvo sus "reales palacios", citados en sus *Chronicas,* uno de los cuales fue el castillo todavía enhiesto. De su munificencia procede la majestuosa iglesia ojival —de porte catedralicio— de Santa María de la Asunción. Verdadero bosque de arbotantes absidales, es la mejor joya de su estilo que se halla en la provincia de Santander y encierra ricos tesoros artísticos, como la Cruz florentina de esmeraldas del siglo VIII y su Virgen titular, del siglo XIV, enmarcada en un bello retablo flamenco.

Elegida como residencia de recreo –principalmente por los bilbaínos– su concha se ha visto ornada, desde principios de siglo, por hermosos palacetes y quintas que realzan el conjunto de sus encantos naturales. Sus playas de Brazomar, Arenillas y la cercana de Oriñón gozan también del favor del turismo internacional, satisfecho de la acogida calurosa de los castreños y de las comodidades y diversiones que ofrece la villa y sus alrededores, que en sencillo paseo a pie permite llegar a parajes encantadores como El Cotolino, El Cueto o el Castillo de los Templarios.

Sobre un acantilado se asienta una fortaleza medieval, hoy convertida en faro. Es fiel reflejo del Castro de otras épocas.

La mansedumbre del mar castreño, en su ensenada, invita no sólo a un seguro baño refrescante, sino a la práctica de los deportes náuticos. Rara será la hora en que no se recorte sobre el azul el triángulo blanco de algún velero, orzando suavemente, o nos atruene el motor de un *out-board* pasando como una exhalación, o sintamos el rítmico golpear de los remos de una trainera. Las caletas, recovecos y salientes de la costa y sus transparentes y límpidos fondos, son un paraíso para la captura de mariscos, para el pescador de caña o el que prefiera la silenciosa aventura submarina. Todos los veranos, en alta mar, los más modernos yates y cruceros se disputan el "Trofeo Azor", atribuido a la mejor pesca de atún. En tierra, por el lógico contacto castellano-vascongado, se alterna la destreza del pasabolo con la espectacular fuerza y agilidad del juego de pelota, tanto a mano como a pala, raqueta o cesta.

Los sedentarios y los entusiastas del paladar pueden refugiarse en un recóndito figón, bajo los soportales, o en las estrechas callejuelas del casco viejo, y degustar las especialidades de la cocina pescadora del país, que también ha tenido la sabiduría de incorporar las salsas vascas.

Vista aérea de la playa de Brazomar, con los modernos apartamentos y hoteles que alojan a numerosos veraneantes.

Puerto y playa de Arenillas, en Islares. Semejante a un atolón de otros mares, con un vivero de mariscos en su interior que hace la delicia de los campistas próximos, surge este bello islote.

Indice

Al poner en sus manos este volumen, el anhelo del editor es llevar a su ánimo la más íntima y profunda esencia de un fragmento de esa variada y siempre palpitante milenaria parcela histórica que es la piel de toro hispánica. Para ello, se ha utilizado el vehículo de una calidoscópica sucesión de espectaculares imágenes fotográficas. Si ha logrado su anhelo, el editor se sentirá sumamente satisfecho puesto que, con ello, habrá ayudado a un mayor y mejor conocimiento de España.

Colección TODA EUROPA

#		Español	Francés	Inglés	Alemán	Italiano	Catalán	Holandés	Sueco	Portugués	Japonés	Arabe
1	ANDORRA	■	■	■	■	■	□	□	□	□	□	□
2	LISBOA	■	■	■	■	■	□	□	□	■	□	□
3	LONDRES	■	■	■	■	■	□	□	□	■	□	□
4	BRUJAS	■	■	■	■	□	□	□	□	□	□	□
5	PARIS	■	■	■	■	■	□	□	□	□	■	□
6	MONACO	■	■	■	■	■	□	□	□	□	■	□
7	VIENA	■	■	■	■	■	□	□	□	□	□	■
8	NIZA	■	■	■	■	■	□	□	□	□	□	□
9	CANNES	■	■	■	■	■	□	□	□	□	□	□
10	ROUSSILLON	■	■	■	■	□	□	□	□	□	□	□
11	VERDUN	■	■	■	■	□	□	□	□	□	□	□
12	LA TORRE DE LONDRES	■	■	■	■	■	□	□	□	□	□	□
13	AMBERES	■	■	■	■	■	□	■	□	□	□	□
14	LA ABADIA DE WESTMINSTER	■	■	■	■	■	□	□	□	□	□	□
15	ESCUELA ESPAÑOLA DE EQUITACION DE VIENA	■	■	■	■	■	□	□	□	□	□	□
16	FATIMA								■	■	□	□
17	CASTILLO DE WINDSOR	■	■	■	■	■	□	□	□	□	■	□
18	LA COSTA DE OPALO	□	■	■	■	□	□	□	□	□	□	□
19	LA COSTA AZUL	■	■	■	■	■	□	□	□	□	□	□
20	AUSTRIA	□	■	■	■	■	□	□	□	□	□	□
21	LOURDES	■	■	■	■	■	□	□	□	□	□	□
22	BRUSELAS	■	■	■	■	■	□	■	□	□	□	□
23	PALACIO DE SCHÖNBRUNN	■	■	■	■	■	□	□	□	□	□	□
24	RUTA DEL VINO DE OPORTO	■	■	■	■	■	□	□	□	■	□	□
25	CHIPRE	□	■	■	■	■	□	□	□	□	□	□
26	PALACIO DE HOFBURG	■	■	■	■	■	□	□	□	□	□	□
27	ALSACIA	■	■	■	■	■	□	□	□	□	□	□
28	RODAS	□	■	■	■	□	□	□	□	□	□	□
29	BERLIN	■	■	■	■	■	□	□	□	□	□	□

Colección ARTE EN ESPAÑA

#		Español	Francés	Inglés	Alemán	Italiano	Catalán	Holandés	Sueco	Portugués	Japonés	Arabe
1	PALAU DE LA MUSICA CATALANA	■	■	■	■	■	■	□	□	□	□	□
2	GAUDI	■	■	■	■	■	■	□	□	□	□	□
3	MUSEO DEL PRADO I (Pintura Española)	■	■	■	■	■	□	□	□	□	■	□
4	MUSEO DEL PRADO II (Pintura Extranjera)	■	■	■	■	■	□	□	□	□	■	□
5												
6	CASTILLO DE XAVIER	■	■	■	■	□	□	□	□	□	■	□
7	MUSEO DE BELLAS ARTES DE SEVILLA	■	■	■	■	■	□	□	□	□	□	□
8	CASTILLOS DE ESPAÑA	■	■	■	■	□	□	□	□	□	□	□
9	CATEDRALES DE ESPAÑA	■	■	■	■	□	□	□	□	□	□	□
10	CATEDRAL DE GERONA	■	■	■	□	□	□	□	□	□	□	□
11	GRAN TEATRO DEL LICEO DE BARCELONA	■	■	■	■	■	■	□	□	□	□	□
12	ROMANICO CATALAN	■	■	■	■	□	■	□	□	□	□	□
13	LA RIOJA: TESOROS ARTISTICOS Y RIQUEZA VINICOLA	■	■	■	■	□	□	□	□	□	□	□
14	PICASSO	■	■	■	■	■	□	□	□	□	□	□
15	REALES ALCAZARES DE SEVILLA	■	■	■	■	■	□	□	□	□	□	□
16	PALACIO REAL DE MADRID	■	■	■	■	■	□	□	□	□	□	□
17	EL ESCORIAL	■	■	■	■	■	□	□	□	□	□	□
18	VINOS DE CATALUÑA	■	■	□	□	□	□	□	□	□	□	□
19	LA ALHAMBRA Y EL GENERALIFE	■	■	■	■	■	□	□	□	□	□	□
20	GRANADA Y LA ALHAMBRA (MONUMENTOS ARABES Y MORISCOS DE CORDOBA, SEVILLA Y GRANADA)	■	□	□	□	□	□	□	□	□	□	□
21	PALACIO REAL DE ARANJUEZ	■	■	■	■	■	□	□	□	□	□	□
22	PALACIO DE EL PARDO	■	■	■	■	■	□	□	□	□	□	□
23	CASAS REALES	■	■	■	■	■	□	□	□	□	□	□
24	PALACIO DE LA GRANJA	■	■	■	■	□	□	□	□	□	□	□
25	SANTA CRUZ DEL VALLE DE LOS CAIDOS	■	■	■	■	■	□	□	□	□	□	□

Colección TODA ESPAÑA

#		Español	Francés	Inglés	Alemán	Italiano	Catalán	Holandés	Sueco	Portugués	Japonés	Arabe
1	TODO MADRID	■	■	■	■	■	■	□	□	□	■	□
2	TODO BARCELONA	■	■	■	■	■	■	□	□	□	□	□
3	TODO SEVILLA	■	■	■	■	■	□	□	□	□	■	□
4	TODO MALLORCA	■	■	■	■	■	□	■	□	□	□	□
5	TODO LA COSTA BRAVA	■	■	■	■	■	□	□	□	□	□	□
6	TODO MALAGA y su Costa del Sol	■	■	■	■	■	□	■	□	□	□	□
7	TODO CANARIAS, Gran Canaria, Lanzarote y Fuerteventura	■	■	■	■	■	□	■	■	□	□	□
8	TODO CORDOBA	■	■	■	■	■	□	□	□	□	□	□
9	TODO GRANADA	■	■	■	■	■	□	□	□	□	□	□
10	TODO VALENCIA	■	■	■	■	■	□	□	□	□	□	□
11	TODO TOLEDO	■	■	■	■	■	□	□	□	□	□	□
12	TODO SANTIAGO	■	■	■	■	■	□	□	□	□	□	□
13	TODO IBIZA y Formentera	■	■	■	■	■	□	□	□	□	□	□
14	TODO CADIZ y su Costa de la Luz	■	■	■	■	□	□	□	□	□	□	□
15	TODO MONTSERRAT	■	■	■	■	□	□	□	□	□	□	□
16	TODO SANTANDER y Costa Esmeralda	■	■	■	■	□	□	□	□	□	□	□
17	TODO CANARIAS, Tenerife, La Palma, Gomera, Hierro	■	■	■	■	■	□	■	■	□	□	□
18		□	□	□	□	□	□	□	□	□	□	□
19		□	□	□	□	□	□	□	□	□	□	□
20	TODO BURGOS, Covarrubias y Santo Domingo de Silos	■	■	■	■	■	□	□	□	□	□	□
21	TODO ALICANTE y su Costa Blanca	■	■	■	■	■	□	■	□	□	□	□
22	TODO NAVARRA	■	■	■	■	□	□	□	□	□	□	□
23	TODO LERIDA provincia y Pirineos	■	■	■	■	□	■	□	□	□	□	□
24	TODO SEGOVIA y provincia	■	■	■	■	■	□	□	□	□	□	□
25	TODO ZARAGOZA y provincia	■	■	■	■	■	□	□	□	□	□	□
26	TODO SALAMANCA y provincia	■	■	■	■	■	□	□	■	□	□	□
27	TODO AVILA y provincia	■	■	■	■	□	□	□	□	□	□	□
28	TODO MENORCA	■	■	■	■	□	□	□	□	□	□	□
29	TODO SAN SEBASTIAN y provincia	■	■	■	■	□	□	□	□	□	□	□
30	TODO ASTURIAS	■	■	■	■	□	□	□	□	□	□	□
31	TODO LA CORUÑA y Rías Altas	■	■	■	■	□	□	□	□	□	□	□
32	TODO TARRAGONA y provincia	■	■	■	■	□	□	□	□	□	□	□
33	TODO MURCIA y provincia	■	■	■	■	□	□	□	□	□	□	□
34	TODO VALLADOLID y provincia	■	■	■	■	□	□	□	□	□	□	□
35	TODO GIRONA y provincia	■	■	■	■	□	□	□	□	□	□	□
36	TODO HUESCA y su provincia	■	■	□	□	□	□	□	□	□	□	□
37	TODO JAEN y su provincia	■	■	■	■	□	□	□	□	□	□	□
38	TODO ALMERIA y su provincia	■	■	■	■	□	□	□	□	□	□	□
39	TODO CASTELLON y su costa del Azahar	■	■	■	■	□	□	□	□	□	□	□
40	TODO CUENCA y su provincia	■	■	■	■	□	□	□	□	□	□	□
41	TODO LEON y su provincia	■	■	■	■	□	□	□	□	□	□	□
42	TODO PONTEVEDRA, VIGO y Rías Bajas	■	■	■	■	□	□	□	□	□	□	□
43	TODO RONDA	■	■	■	■	□	□	□	□	□	□	□
44	TODA SORIA	■	■	■	□	□	□	□	□	□	□	□
45	TODO HUELVA	■	■	■	□	□	□	□	□	□	□	□
46	TODO EXTREMADURA	■	■	■	■	□	□	□	□	□	□	□
47	TODO EL MONASTERIO DE GUADALUPE	■	■	■	■	□	□	□	□	□	□	□
48	TODO ZAMORA	■	■	■	■	□	□	□	□	□	□	□
49	TODO PALENCIA	■	■	■	■	□	□	□	□	□	□	□

Colección TODA AMERICA

#		Español	Francés	Inglés	Alemán	Italiano	Catalán	Holandés	Sueco	Portugués	Japonés	Arabe
1	PUERTO RICO	■	□	■	□	□	□	□	□	□	□	□
2	SANTO DOMINGO	■	□	■	□	□	□	□	□	□	□	□

Colección TODA AFRICA

#		Español	Francés	Inglés	Alemán	Italiano	Catalán	Holandés	Sueco	Portugués	Japonés	Arabe
1	MARRUECOS	■	■	■	■	■	□	□	□	□	□	□
2	EL SUR DE MARRUECOS	■	■	■	■	■	□	□	□	□	□	□

Este libro se ha impreso en los Talleres
FISA - Industrias Gráficas, Palaudarias, 26
Barcelona (España)